André Pozner
Illustrations : Marie-Marthe Collin

le vent

Le vent souffle.
Est-ce qu'il souffle avec la bouche ?
Le vent, on ne le voit pas.
C'est de l'air
qui se déplace dans l'air.
Le vent sait faire
des choses étonnantes.
Veux-tu courir dans le vent
avec Cécile et Jérôme ?

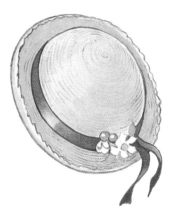

– Mon chapeau ! dit Cécile.
– On va le réclamer au vent,
dit Jérôme.
– On ne peut pas, dit Cécile.
Le vent n'est pas une personne.

– Mais c'est quoi, le vent ?
demande Jérôme.
Le vent, c'est de l'air
qui se déplace.

Les enfants courent.
Mais le chapeau dans le vent
va plus vite qu'eux.

On ne voit pas le vent,
mais on l'entend : vouououou !
Et on voit ce qu'il fait.
Il pousse le chapeau et les nuages.
Il fait bouger les feuilles des arbres.
Il soulève les cheveux.

le deltaplane

le planeur

l'oiseau

le cerf-volant

Le chapeau vole
de plus en plus loin.
Est-ce qu'il vole aussi haut
que les cerfs-volants ?
Est-ce qu'il vole
plus haut que l'avion ?
Heureusement que non !

l'avion

Le vent a beaucoup de force.
Il balaye les feuilles d'automne.
Il fait pencher les arbres.
Il fait claquer les volets.

Quelquefois, le vent est si fort
qu'il casse les branches.
C'est la tempête.
Il vaut mieux se mettre à l'abri.

La force du vent peut être utile.
Qu'est-ce qui fait avancer
les bateaux à voile ?
Qu'est-ce qui fait tourner l'éolienne ?

L'éolienne est
un moteur à vent.
Elle pompe l'eau
du puits aussi bien
qu'un moteur électrique
ou un moteur à essence.

Le vent pousse le chapeau
contre un buisson.
- Tu as de la chance,
dit Jérôme à Cécile.

Fabrique deux hélices en carton, comme ça :

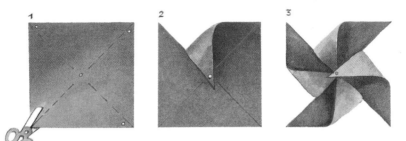

Attache-les ensemble avec un petit clou (ou une épingle) au bout d'un bâton, comme ça :

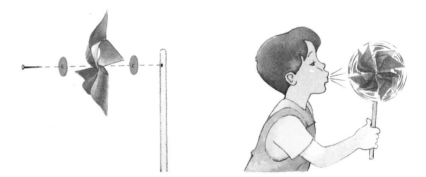

Maintenant, prends ta girouette
et souffle dessus.

La girouette tourne : c'est toi le vent !